Pierre Brault

de la Société Historique de la Vallée du Richelieu

L'ACADIE
ET SON
EGLISE

Editions Mille Roches
Saint-Jean-sur-Richelieu

Mes remerciements à
MM. les abbés Clément-Marie Provost
et Robert Corriveau,
pour leur précieuse collaboration;
à Mlle Anne Bourassa,
pour certaines photos inédites,
ainsi qu'aux autres personnes qui
m'ont gracieusement prêté les leurs.

© 1977, Editions Mille Roches
C.P. 323
Saint-Jean-sur-Richelieu

Dépôt légal
Bibliothèque nationale du Québec
Premier trimestre 1977
ISBN 0-88585-001-7

L'ACADIE ET SON EGLISE

Dessin de Roch Tanguay

AVANT-PROPOS

De toutes les villes et villages du Haut-Richelieu, L'Acadie mérite certes que l'on s'y attarde un moment. Riche d'un passé chargé d'histoire, jadis pôle d'attraction de toute une région, - n'y voyait-on pas au siècle dernier, toutes les classes de la société représentées, du simple artisan jusqu'à l'avocat, sans compter le notaire et le médecin - L'Acadie suscite encore de nos jours un attrait indubitable dont les vieilles familles établies depuis des générations s'étonnent bien un peu, mais que les nouveaux arrivants savent reconnaître.

Est-ce l'aspect champêtre des lieux avec sa petite rivière, bien banale en soi, qui avec son cours ombragé et capricieux déroule ses boucles jusqu'au bassin de Chambly; est-ce la silhouette pure du clocher de l'église, véritable joyau d'architecture, ou la beauté pittoresque de quelques anciennes maisons; ou est-ce encore l'histoire évoquée au

9

détour de la route par le nom de ses chemins: «Grand Pré, Evangéline, des Acadiens, des Patriotes, des Vieux Moulins», qui attirent le citadin à venir s'y enraciner, ou le visiteur de passage?

Nous croyons que c'est un peu tout cela qui, ajouté à la facilité des moyens de communication mettant, pour ainsi dire, la ville à la portée de la main, nous font pasticher, sans aucune connotation politique, un chanteur célèbre, en disant: «C'est à notre tour, à L'Acadie, de se laisser parler d'amour.»

Aussi, lorsque M. Jean-Yves Théberge m'a suggéré d'écrire une Histoire de L'Acadie, bien avant qu'il soit aux Editions Mille Roches, un désir latent en moi s'éveilla et j'ai cru bon d'accepter dans la mesure de mes modestes moyens. Mais lorsqu'il me pressa de présenter avant ce travail, une brochure sur l'église qui attire chaque année un nombre grandissant de visiteurs, venus non seulement du Pays et des Etats-Unis, mais aussi d'Europe et même d'Afrique, j'acceptai une fois de plus croyant répondre à une certaine demande.

Toutefois, il me paraissait logique et nécessaire de retracer, sommairement peut-être, l'origine de la paroisse avant de parler de la suite des événements comme du concours des paroissiens de l'époque qui ont contribué à élever ce magnifique monument qu'est l'église de L'Acadie. L'on ne m'en voudra pas d'avoir puisé surtout dans l'**Histoire de L'Acadie** de l'abbé Moreau, ouvrage que gardent jalousement les familles qui le possèdent, et aussi dans un texte portant sur l'**Eglise de L'Acadie**, écrit par le notaire Gérard Morisset qui, de par sa formation artistique, fait autorité en la matière.

Le présent ouvrage se veut donc une bien modeste contribution à l'histoire locale s'inspirant des auteurs cités plus haut, aussi bien que de notes personnelles et d'extraits d'un travail plus complet présentement en cours de préparation.

I - Situation géographique et topographie

L'Acadie - Eglise construite en 1800-1801, d'après les devis de l'abbé Pierre Conefroy; Jacques Odelin, maître-maçon, Joseph Nolette, maître-charpentier. Classée monument historique en 1957. Photo Ken Wallett.

I — SITUATION GEOGRAPHIQUE ET TOPOGRAPHIE

Le territoire de L'Acadie, qui à l'origine couvrait une vaste étendue s'allongeant des limites de Chambly jusqu'à la frontière américaine d'une part, et de la paroisse de Saint-Philippe de Laprairie aux rives du Richelieu d'autre part, n'occupe aujourd'hui qu'une superficie vaguement trapézoïdale resserrée entre les paroisses qui en sont issues. Elle est donc bornée au nord par Saint-Luc, à l'est par Notre-Dame-de-Lourdes (Saint-Jean), au sud-est par Saint-Blaise, au sud par Napierville, au sud-ouest par Saint-Jacques-le-Mineur, alors qu'une partie à l'ouest est encore bornée par Saint-Philippe.

LA RIVIÈRE

Ce territoire occupe la majeure partie de ce que l'on est convenu d'appeler, selon le rapport PLURAM (1), *la vallée de la rivière L'Acadie*. Cette rivière connue primitivement sous le nom de *rivière des Morelles*, prit rapidement le nom de *Petite rivière de Montréal*, comme l'inscrivait Joseph Bouchette sur sa carte de 1815, forme qui est restée en usage, en certains endroits. Mais elle fut connue sous ce nom bien avant 1782, année d'érection de la paroisse, comme en font foi les actes de concessions faites aux colons.

Toutefois, à l'été de 1964, la Commission de Géographie du Québec se rendait à un voeu exprimé par la Société Historique de la Vallée du Richelieu, lors d'une réunion tenue à Longueuil en juin de la même année, et saisissait le ministère de la Voirie du changement de ce nom en celui de *Rivière L'Acadie*, qui d'ailleurs apparaissait depuis plusieurs années déjà sur les cartes émises par la Division de cartographie du ministère des Mines et des Relevés Techniques d'Ottawa.

(1) Société pluridisciplinaire de planification d'urbanisme et d'aménagement.

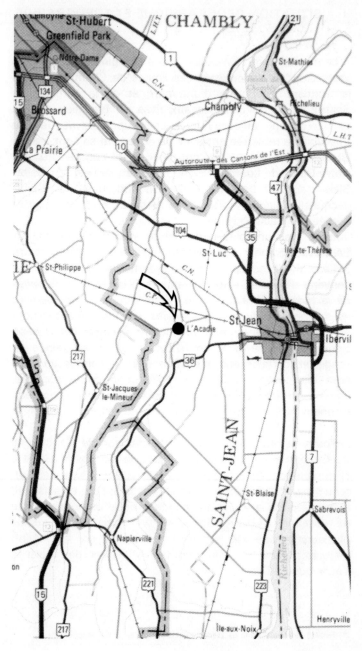

La rivière constitue le seul accident géographique, mais combien intéressant, de cette plaine. Elle roule ses eaux brunâtres du sud au nord, à travers la paroisse, sur une distance de près de douze milles, tenant compte de ses nombreux méandres, et la coupe, pour ainsi dire, en deux parties.

Jadis, elle faisait fonctionner plusieurs moulins en amont du village, d'où le nom donné à la route qui longe la rive est vers le sud, soit celui de chemin des Vieux-Moulins. La première filature de laine au Québec y fut d'ailleurs établie en 1827 par Mahlon Willett. C'était le deuxième moulin établi au Canada, le premier l'ayant été à Georgetown, en Ontario. Trois ans plus tard, Mahlon Willett transportait sa filature à Chambly où devinrent célèbres les *flanelles de Chambly*, selon une publication conjointe du Ministère de la Jeunesse de la Province de Québec et le Primary Textiles Institute, parue en 1928.

On y trouvait également des moulins à farine, à cardes et à scie; ces derniers firent la fortune des trois frères Roy venus de Contrecoeur s'établir à L'Acadie, au début du dernier quart du 18e siècle. Il ne reste plus aujourd'hui que les vestiges d'un moulin à farine qui a cessé de fonctionner au début du présent siècle, par suite du bris de la digue.

Si durant la saison estivale, le courant de la rivière s'étire paresseusement, il n'en va pas de même au printemps, lors de la crue des eaux. Il prend alors des allures torrentielles et la rivière sort littéralement de son lit pour couvrir les basses terres, ou les pointes, comme on les appelle ici, surtout là où le terrain s'élève légèrement en plateau. Autant de petits lacs se forment, tandis que les glaces contenues entre ses rives se soulèvent et se préparent à la débâcle.

La rivière possède aussi un affluent, le *ruisseau des Noyers*, qui s'en détache à environ deux milles en aval du village et qui, se dirigeant vers le sud-ouest, va se perdre dans les terres de Saint-Jacques-le-Mineur.

L'HORIZON

La plaine s'est débarrassée assez tôt de sa couverture de forêts pour faire place à des terres fertiles où la grande culture était plus lucrative. Il reste cependant encore quelques espaces boisés à l'est, mais surtout dans la partie ouest et nord de la paroisse. Les feuillus y voisinent avec les conifères, ces derniers spécialement à l'ouest de la rivière, dans la section nord. En plus de briser la monotonie d'étendue trop vaste, ils ont le grand mérite de servir de freins aux vents dominants de l'ouest.

En dehors de ces futaies, le regard qui parcourt l'horizon à travers les étendues planes, s'accroche inévitablement à l'une ou l'autre des collines montérégiennes qui se succèdent d'Ouest en Est. Ce sont dans l'ordre: le Mont-Royal, le mont Saint-Bruno, le mont Saint-Hilaire, Rougemont, le mont Yamaska, et plus près de nous, le mont Johnson (mont Saint-Grégoire). L'altitude de leurs points culminants varie de 715 à 1370 pieds.

Plus à l'est, on peut voir apparaître parfois les monts Shefford et Brôme qui se rattachent aux montérégiennes, et vers le sud-est par temps clair, la chaîne des montagnes Vertes du Vermont. Venant également d'outre-frontière au sud-ouest, quelques sommets des Adirondacks surgissent à l'occasion, derrière Covey Hill.

LES CHEMINS

La paroisse est parcourue par quatre grands rangs parallèles à la rivière qui, avons-nous dit, la divise en deux parties, est et ouest; par contre, le *chemin du Clocher*, continué par le *chemin des Bouleaux*, en délimite les parties nord et sud. Le premier passant par le coeur du village y forme le carrefour d'où s'élance vers le sud le *chemin des Vieux Moulins*, alors que venant du nord, y arrive le *chemin Grand-Pré*, les deux cotoyant la rive est de la rivière.

De l'autre côté de celle-ci, filant vers le sud également, on retrouve le *chemin des Patriotes* qui, comme son voisin

16

Chemin du Clocher, autrefois rue de l'Eglise, d'après une carte postale d'avant 1920.

des Vieux Moulins, rejoint Napierville. A la sortie du pont de l'église, le *chemin Evangéline* parcourt le côté ouest de la rivière, direction nord, jusqu'à quelque distance passée le *Ruisseau des Noyers* où il fait la jonction avec le chemin du même nom. Ce dernier parti de l'extrémité ouest du chemin des Bouleaux rejoint la route 104, longeant ledit ruisseau dans sa première partie et la rivière dans la dernière.

De celui des Bouleaux, se détache aussi, côté est du ruisseau, le *chemin des Frêsnes* qui s'arrête aussitôt, passé les voies du Canadien Pacifique. Cette voie ferrée divise également dans la partie orientale de la paroisse deux autres chemins, celui de la *Coulée des Pères*, direction nord, et celui *des Ormes* allant vers le sud, jusqu'aux limites de Saint-Blaise; le chemin du Clocher les reliant au village. Le chemin des Ormes est aussi relié à un point donné au chemin des Vieux Moulins par la *Montée Paradis*, tandis que le *chemin des Carrières* nous conduit vers Saint-Jean. Au village, on retrouve le *chemin des Acadiens* et celui *des Forges* formant un quadrilatère avec ceux des Vieux Moulins et du Clocher.

Chemin des Vieux Moulins, entre le chemin des Forges et celui du Clocher; carte postale d'avant 1920.

Ce sont là les grandes voies carossables intimement liées à l'origine de la paroisse (2). Les plus anciennes, sûrement, étant celles qui longent le ruisseau des Noyers et la rivière L'Acadie; les premières concessions des terres y ayant été faites soit par les Pères Jésuites de la seigneurie de la Prairie de la Magdeleine, soit par les seigneurs de la baronnie de Longueuil.

(2) Ces divers noms de chemins furent le résultat d'un concours ouvert à la population par la SSJB locale en 1962. Le 12 septembre de la même année, le Conseil municipal lors d'une assemblée, en faisait un choix définitif. L'approbation du Gouvernement du Québec vint quelques années après et les panneaux indicateurs apparurent vers 1967.
Nous avons omis volontairement les rues des nouveaux développements, croyant qu'elles ne présentent que peu d'intérêt au point de vue historique.

II - La colonisation

II — LA COLONISATION

Rappelons que le territoire d'alors faisait partie principalement de deux seigneuries, celle des Pères Jésuites de la seigneurie de La Prairie dont les limites touchaient la rivière, la traversant toutefois dans la partie nord, et celle de la baronnie de Longueuil, à l'est de la rivière, s'étendant jusqu'aux rives du Richelieu. La seigneurie de Léry en occupait également une importante partie au sud, d'où sont sorties les paroisses de Saint-Cyprien (Napierville) et Saint-Blaise.

Les premiers défrichements y commencèrent vers le milieu du XVIIIe siècle, sous le Régime français. Les Pères Jésuites ayant ouvert à la colonisation leurs terres situées en profondeur en arrière de La Prairie, il y eut suffisamment de colons pour y établir en 1751, la paroisse de Saint-Philippe. Or le Ruisseau des Noyers et l'ouest de la Petite Rivière firent d'abord partie de Saint-Philippe.

PREMIERES CONCESSIONS
Dès 1753, le Père St-Pé, jésuite, concédait une terre à Pierre Brosseau, à la Grande Savanne, aujourd'hui de Saint-Luc, mais qui fit partie de L'Acadie, une fois la paroisse érigée. L'abbé Moreau, dans son *Histoire de L'Acadie*, nous rapporte aussi: «et la colonisation montant la rivière, une autre terre de quatre-vingt-dix arpents y fut concédée, à l'ouest (de la rivière), le 3 juin 1762, à Nicolas Grégoire, par le Père Floquet, autre jésuite. .... cette terre était la vingt-cinquième du rang, les autres par conséquent devaient avoir été déjà arpentées, et probablement concédées.»

Plus loin, il nous dit encore que: «le 9 août 1764, M. Deschambeault, oncle et tuteur de Mlle la baronne de Longueuil, concédait à Jean-Baptiste Cire, un véritable Acadien, la terre aboutissant au village, qui a fourni le chemin menant à l'église». Enfin, on retrouve en appendice au livre de l'abbé Moreau le contrat d'une concession faite par le Père Pierre-René Floquet, supérieur de la résidence des révérends Pères Jésuites de Montréal, seigneur de la Prairie de la Magdeleine, à Jean Moreau, contrat daté du 18 décembre 1770. Or cette terre était située sur l'actuel chemin Evangéline, entre le village et les voies du Canadien Pacifique.

C'est ainsi que les premiers colons furent, à quelques exceptions près, des Canadiens français, tels les Côté, les Simard et les Tremblay qui, selon l'abbé Moreau, étaient originaires de la Baie Saint-Paul; les Terrien, les Audet et les Moreau de Québec et de l'Ile d'Orléans; les Molleur et les Roy de Contrecoeur. Ajoutons que les Toupin venaient de Beauport, les Gagnon de Château-Richer, et les Rémillard de Saint-Vallier; les Paradis, aussi de l'Ile d'Orléans, sans compter tous ceux qui sont venus de La Prairie, tels les Bourassa, les Brosseau, les Lamarre, les Piédalue dit Prairie, etc.

LES ACADIENS

Si la colonisation progressait lentement mais sûrement, elle s'accentua rapidement avec l'arrivée en foule, au printemps de 1768, des exilés Acadiens. Ces derniers joueront un rôle primordial dans la fondation de la nouvelle paroisse qui s'érigera dans les années futures.

Arrachés à leur douce Acadie, lors du *Grand Dérangement* de 1755, les Acadiens avaient été, comme on le sait, par une décision arbitraire, semés sur les côtes de l'Atlantique dans les colonies américaines. Tandis que certains d'entre eux parvinrent, au prix de mille sacrifices, à s'échapper et revenir au Canada, ou à gagner la Louisiane demeurée française, le millier d'Acadiens débarqués à Boston furent confinés dans les bourgs des environs où le Gouvernement les avait répartis.

Ces «French Neutrals», comme on les appelait, furent soumis à une législation sévère et brimés dans leur liberté pendant plus de dix ans. Ce n'est qu'après de multiples requêtes adressées aux Chambres de Boston, mais surtout à la suite de la proclamation royale faite en 1766, par le gouverneur Murray, ouvrant le Canada aux immigrants d'Angleterre et des colonies anglaises, que l'espoir surgit enfin.

Une dernière pétition adressée au gouverneur Bernard, de Boston, reçut une réponse favorable; il la communiqua à la Chambre des Représentants qui refusa net, mais céda à la fin. On commença donc à s'organiser pour entreprendre cette émouvante odyssée. Pascal Poirier nous dit qu'il s'en trouva un peu plus de huit cents en état de partir, car on avait pris soin de laisser dans chaque localité des hommes valides et surtout des femmes pour prendre soin des infirmes et des vieillards, et leur fermer les yeux. Ceux-là partirent plus tard.

La longue caravane humaine prit donc le sentier des Indiens, le «Mowack Trail», qui conduisait au lac Champlain, et de là, par la route d'Albany ou par bateaux descendant le Richelieu jusqu'à la hauteur du fort Saint-Jean, ils vinrent se fixer sur les bords de la petite *Rivière de Montréal* (3). Un contingent, toutefois, continua sa route pour aller rejoindre un important groupe établi l'année précédente à Saint-Jacques-de-l'Achigan, groupe qui était venu par bateau et descendu à Québec (4). Quelques familles s'arrêtèrent aussi le long du Richelieu, notamment à Saint-Denis.

C'est depuis ce temps que la colonie antérieurement connue d'après le nom de la rivière, soit **Petite-rivière-de-Montréal**, commença à porter les noms de: **La Cadie, La**

(3) La plupart des historiens s'accordent pour dire que le groupe de L'Acadie serait arrivé en 1768, bien que certaines familles aient pu arriver avant. Il s'est d'ailleurs fait, apparemment, un va-et-vient durant deux ou trois ans entre les divers points où les Acadiens s'étaient installés, notamment entre Saint-Jacques de l'Achigan, appelée alors «La Nouvelle Acadie» et notre «Cadie» à nous; des membres d'une même famille cherchant à se retrouver.
(4) Voir: *Une nouvelle Acadie - Saint-Jacques-de-L'Achigan*, par François Lanoue.

Nouvelle Cadie, La Petite Cadie, que les Acadiens lui donnèrent en souvenir de leur patrie perdue.

Mais elle fut aussi appelée **Blairfindie**, dès l'érection de la paroisse en 1782; on en verra la raison plus loin. C'était compter néanmoins sans la ténacité proverbiale des Acadiens; ceux-ci introduisirent une variante qui leur était plus familière et c'est ainsi que l'on vit apparaître dans les documents et la correspondance de l'époque, les appellations **l'Acadie** et **L'Acadie.** Ces dernières feront concurrence à **Blairfindie** et finiront par la supplanter graduellement au cours de la première moitié du XIXe siècle. **L'Acadie** triomphera (5).

A ce propos, le Père P. Maurice Hébert, cap., qui a fait des études intéressantes sur les paroisses acadiennes du Québec, notait avec satisfaction:

> «*Alors qu'en d'autres endroits, comme à St-Jacques de l'Achigan, et surtout à St-Gervais, le mot Acadie [ou Cadie] a pratiquement disparu de la carte, - après avoir été généralement employé pendant un quart de siècle au moins, - dans la Vallée du Richelieu, on assiste à un phénomène inverse: le mot Acadie a supplanté finalement plusieurs autres appellations, comme «Petite-Rivière-de-Montréal», «Blairfindie», «Ste-Marguerite».»* [6]

(5) Vers 1926, la municipalité fit adopter par un arrêté en conseil la contraction *Lacadie*, en remplacement du nom légal qui était alors *Ste-Marguerite de Blairfindie*, du nom de la paroisse. Mais récemment, afin d'éviter toute confusion, car la forme *L'Acadie* avait toujours cours, le présent conseil municipal, ayant à sa tête le maire Jos. L. Tremblay, décidait de donner suite à une résolution passée en assemblée le 1er mars 1965. Un nouvel arrêté en conseil fut donc adopté en date du 29 septembre 1976 et publié dans la *Gazette officielle du Québec*, le 4 décembre de la même année, ayant pour objet de changer le nom de la municipalité de Lacadie, comté de Saint-Jean, en celui de «Municipalité de L'Acadie».

(6) Le 1er juillet 1845, en vertu de la loi 8 Victoria, chapitre 40, une proclamation du 18 juin 1845 érigeait la municipalité de la paroisse de Sainte-Marguerite-de-Blairfindie.
Le 1er septembre 1847, en vertu de la loi 10-11 Victoria, chapitre 7, la municipalité de Sainte-Marguerite-de-Blairfindie cessait d'exister et son territoire devenait partie de la municipalité du comté créée par cette loi.
Le 1er juillet 1855, un nouveau régime municipal entrait en vigueur, en vertu de la loi 18 Victoria, chapitre 100, «Acte des municipalités et des chemins du Bas-Canada de 1855». Le territoire de la paroisse de Sainte-Marguerite-de-Blairfindie fut donc, le 1er juillet 1855, érigé en municipalité. (Renseignements fournis par Monsieur Julien Drapeau, conseiller cadre au Ministère des Affaires municipales.)

Le Père Hébert ajoute que «ce phénomène n'est pas nécessairement dû au fait qu'il y a plus d'Acadiens dans cette partie du Québec que dans les autres «Cadies» de la province, mais au fait, semble-t-il, que le nationalisme est plus combatif dans ce coin de pays.» Il rappelle que c'est dans la vallée du Richelieu que se sont livrées les luttes les plus fréquentes du Canada français pour s'agripper au sol et il cite les luttes contre les Iroquois empruntant le Richelieu, lutte contre les invasions américaines, «contre les soldats de Colborne qui avaient établi leurs quartiers dans L'Acadie même, lors des troubles de 1837-38 et l'avaient ravagée».

Cet apport considérable des réfugiés Acadiens accrut sensiblement la population de la colonie, d'autant plus que d'autres Canadiens continuaient à s'établir dans la région, voisinant avec ces Acadiens, remarquant leur grande opiniâtreté de caractère et leur langage particulier, qui en faisait un peuple à part, si bien que les alliances entre les deux groupes tarderont à se faire.

Ces co-fondateurs Acadiens portaient les patronymes suivants: Boudreau, Bourgeois, Brault, Cire (Cyr), Clouâtre, Comeau, Dupuis (Dupuy), Gaudin (Godin), Granger, Hébert, Landry, Lanoue, Leblanc, Richard, Trahan, etc. D'autres viendront plus tard, tels les Brun, les Gôdreau (Gaudreau), les Thibodeau, etc.

III - L'érection
de la paroisse

III — L'ERECTION DE LA PAROISSE

Lors de l'arrivée des Acadiens à la Petite Rivière de Montréal, ceux-ci comme les Canadiens déjà établis plus au nord surtout furent desservis par les Pères Jésuites de La Prairie. Comme on l'a vu précédemment, tout l'ouest de la rivière appartenait à Saint-Philippe. Les colons allaient donc accomplir leurs devoirs religieux à Saint-Philippe autant qu'à La Prairie même. C'est d'ailleurs à ces deux endroits que furent validés les mariages des Acadiens contractés en Nouvelle-Angleterre.

REQUETES

La population allant croissant et s'éloignant dans les profondeurs des terres vers le Richelieu, les colons ne tardèrent pas à adresser une requête à Mgr Briand, évêque de Québec, pour «demander d'être érigés en paroisse et d'avoir une église à eux et un curé résidant chez-eux, se trouvant trop éloignés des églises de Saint-Philippe et de La Prairie».

Or le grand-vicaire Gravé fut dépêché par son évêque pour vérifier ladite requête, mais comme une autre requête aurait été envoyée par les habitants du bas de la rivière et des Savannes, désirant avoir une église près du chemin de Saint-Jean, Monsieur Gravé jugea bon de fixer l'endroit de la nouvelle église près du pont, au site que l'on désignera plus tard sous le nom de *Half-Way-House*, près du dit Chemin Saint-Jean (7), dans la seigneurie des Pères Jésuites.

Selon l'abbé Moreau, le Père St-Pé, le même dont il fut question précédemment, aurait même acheté un terrain d'un nommé Laramée, sur la rive est de la rivière, en prévision d'y asseoir l'église et ses dépendances. Mais les Acadiens groupés quelques milles plus en amont, sur des

(7) route 104 actuelle.

terres plus prometteuses, ne l'entendirent pas ainsi et la paroisse ne fut pas érigée.

L'abbé Moreau regrette toutefois que l'on ne se soit pas prévalu de ce premier choix. «L'église, dit-il, n'y aurait pas été mal, pourtant, à égale distance de Laprairie et du fort de Saint-Jean, à neuf milles de chacun de ces deux postes, et la paroisse aurait compris tout le pays circonvoisin, à quatre milles à la ronde, ce qui aurait déchargé les paroisses de Saint-Philippe, Laprairie et Chambly, et aurait, plus tard, fait placer l'église de Saint-Luc sur les bords enchanteurs du Richelieu.»

Une nouvelle requête fut adressée à Mgr Briand, en 1782, et cette fois ce fut le directeur du Séminaire de Saint-Sulpice, Monsieur Brassier, qui fut délégué pour leur en marquer la place. Le 5 août 1782, il dressa le procès-verbal suivant, qu'il envoya à son évêque:

«Le jour de Notre-Dame des Neiges, le cinquième du mois d'août Mil sept cent quatre vingt-deux, vu la commission à moi donnée par Mgr l'Evêque de Québec, et à la réquésition des habitants de la «Rivière de Montréal» dite la «Nouvelle-Cadie», dans la seigneurie et baronnie de Longueuil, je me suis transporté au dit lieu avec M. Filiau, curé de la Magdeleine de la prairie pour y fixer les places d'une église, d'un presbytère et cimetière désirées depuis longtemps sur l'habitation de Jacques Hébert qui a donné une pointe de terre de la contenance de dix-sept arpents en superficie à condition qu'il sera exempt de contribuer à la bâtisse de l'église et presbytère une fois fait et qu'il jouira gratis sa vie durante d'un banc dans l'église qui lui sera assigné par le curé et le Marguillier en charge. Et Jean Bapte Cire, aussy habitant du dit lieu a promis aussi de donner un chemin de quarante pieds de large qui prendra du chemin du Roy et conduira à la porte de l'église; tous les habitans vont procéder à l'élection des

> Sindics pour bâtir un presbytère de 50 pieds de long
> sur 36 pieds de large, le tout conformément à un
> plan que j'ay donné à Honoré Landry nommé par
> l'assemblée pour le recevoir et signé de ma main, le
> 5 août 1782.»
>
> Signé   Brassier, prêtre

Le 22 septembre suivant, Mgr Jean-Olivier Briand, 7e
évêque de Québec, approuvait le procès-verbal de Monsieur
Brassier par l'acte suivant:

> Nous Jean Olivier Briand par la miséricorde divine et
> la grâce du St-Siège, Evêque de Québec, Etc., Etc.
> approuvons le procès-verbal de l'autre part, fait par
> Messire Brassier prêtre directeur du Séminaire de
> St-Sulpice, estably à Montréal que nous avions
> chargé de nos pouvoirs, à l'effet de terminer, d'ar-
> ranger ce dont il est question dans ledit procès-
> verbal, et voulons que soit exécuté, tout ce qu'il a
> décidé, arrangé, terminé, et concédé, et authorisons
> les Marguilliers de ladite paroisse à mettre en exécu-
> tion les dites concessions, décisions et arrange-
> ments.
> Donné à Québec, le 22 septembre 1782, sous notre
> seing et le sceau de nos armes et la signature de
> notre secrétaire.
>
> J. Ol. Evêque de Québec
> par Monseigneur M. I. Paquet
> diacre-secrétaire

C'est à ce moment, selon l'abbé Moreau, que Mgr Briand
aurait donné *sainte Marguerite d'Ecosse* pour titulaire de la
nouvelle paroisse; l'acte ci-dessus n'en fait pas mention,
mais on le verra lors de l'élection des premiers marguilliers
en 1784.

Faisons ici une digression pour dire que sainte Marguerite
élevée à la cour de Hongrie, était la petite nièce de saint
Edouard qui règna sur l'Angleterre sous le titre d'Edouard III,

dit le Confesseur, de 1041 à 1066. Admise plus tard à la cour d'Ecosse, après son retour d'exil en Hongrie, elle devait y épouser Malcolm III, roi de ce pays. Singulière coïncidence que celle qui allait être la patronne d'une paroisse comptant dans ses rangs des exilés Acadiens dut subir elle-même le sort de l'exil.

Lors de la Réforme survenue au XVIe siècle, les catholiques Ecossais craignant une profanation des tombeaux royaux firent enlever secrètement les deux corps, ou du moins ce qu'il en restait, et les transportèrent à Madrid, où Philippe II, fils de Charles-Quint, les fit placer dans une chapelle de l'Escurial, dans un même tombeau portant l'épitaphe suivante: *SANCTUS MALCOLMUS REX - SANCTA MARGARITA REGINA.*

SAINTE MARGUERITE
DE BLAIRFINDIE

Le choix de sainte Marguerite d'Ecosse par Mgr Briand n'était pas fortuit, il était plutôt habile; rappelons-nous que la majorité de la paroisse nouvelle était comprise dans les terres de la baronnie de Longueuil dont l'héritière, Marie-Charles-Joseph Le Moyne, avait épousé en 1781 David Alexander Grant of Blairfindie, un Ecossais. L'évêque de Québec, désireux de plaire au nouveau seigneur, trouva donc une sainte écossaise comme titulaire, à laquelle il ajouta le nom de Blairfindie, lieu d'origine de la famille Grant. La paroisse fut dès lors connue sous le nom de *Sainte-Marguerite de Blairfindie.*

Signalons que Mgr Briand rendait ainsi un double hommage à la famille Grant, car la troisième baronne de Longueuil, Marie-Anne-Catherine Fleury d'Eschambault, veuve de Charles-Jacques Le Moyne, s'était remariée en 1770, quinze ans après la mort de son époux, avec l'hon. William Grant, receveur-général de la province de Québec. C'est précisément sa fille, Marie-Charles-Joseph, née après la mort de son premier époux, qui épousera David Alexander Grant, capitaine au 84e régiment de sa Majesté

Britannique, ce dernier étant de surcroît le neveu de l'hon. William Grant.

UN SITE UNIQUE

Le terrain donné par Jacques Hébert constituait jusqu'à il y a quelques années une presqu'île formant une enclave où se trouvent situés les édifices de la Fabrique et le cimetière.

Depuis, les travaux de redressement de la rivière et la construction d'un nouveau pont ont sensiblement modifié cet aspect de presqu'île. Le cours de la rivière ne passe plus en contrebas de l'église, mais coupe directement à droite, à travers les pointes, pour rejoindre son lit antérieur, passé l'ancien pont. Mais il reste que par la topographie des lieux, c'est un site assez exceptionnel pour ne pas dire unique, si on le compare avec la plupart des villages de la campagne québécoise où d'ordinaire les maisons s'agglutinent autour de l'église.

Ici, il faut vraiment sortir du coeur du village pour aller vers la maison du Seigneur; aucun édifice n'en cachant les lignes harmonieuses, on constate en s'y rendant que l'église nous apparaît alors dans toute sa splendeur paysanne.

LES PREMIERS SYNDICS

A la suite de la visite de M. Brassier, et selon les recommandations de ce dernier, les habitants se réunirent le 1er septembre suivant pour faire le choix de quatre syndics, n'attendant même pas que Mgr Briand eût approuvé le procès-verbal de son délégué. MM. Laurent Roy, Julien Piédalue, Jacques Senésac et Dominique Bonneau furent élus afin d'accepter la donation de Jacques Hébert et superviser la construction d'un presbytère dont le haut servirait de chapelle, selon les plans dressés par M. Brassier, celui-ci croyant trop ambitieux le projet de construire une église pour le temps.

Dès le lendemain, 2 septembre, les syndics se rendirent à Chambly, chez le notaire Grisé, avec Jacques Hébert, pour faire rédiger le contrat de donation. Ils y retournèrent le 16 septembre, cette fois avec Jean-Baptiste Cire, pour la rédaction d'un autre acte notarié par lequel celui-ci donnait le terrain nécessaire pour ouvrir le chemin conduisant de la route jusqu'aux abords de la presqu'île donnée par Jacques Hébert.

Notons tout de suite que Jean-Baptiste Cire et Jacques Hébert étaient Acadiens; le premier, comme on l'a vu précédemment, s'était établi dès 1764, venu probablement par le fleuve via La Prairie, alors que le deuxième arriva au pays vers 1768 avec des centaines d'autres (8).

(8) Napoléon Bourassa, dans son roman historique «Jacques et Marie», empruntera le nom de Jacques Hébert qu'il attribuera au héros de cet épisode de la dispersion des Acadiens, dont le dénouement se situe ici même à L'Acadie.
Selon M. Jean-Jacques Lefebvre, archiviste et généalogiste, les Jacques Hébert et Marie Landry du roman ont bien existé. Il affirme de plus que ceux-ci firent baptiser cinq de leurs enfants à Laprairie peu après leur arrivée en 1768; l'un d'eux né en 1758 s'appelait aussi Jacques qui pourrait être celui qui nous intéresse, le père étant décédé en 1770, bien que d'autres aient eu le même prénom.

IV - Le premier presbytère-chapelle

IV — LE PREMIER PRESBYTERE-CHAPELLE

Le 30 septembre 1782, les syndics passaient un contrat avec Basile Proulx, entrepreneur de Montréal, par devant le notaire P. A. Panet, pour la construction d'un presbytère de 56 pieds de longueur par 40 pieds de largeur, pour la somme de 16,000 livres devant être versées en quatre versements, le dernier devant être payé en octobre 1783, une fois l'ouvrage terminé selon les prévisions de l'entrepreneur et selon les termes du contrat, *remis aux dits habitants, fait et parfait, la clef à la main et conforme aux devis exigés.*

Il faut dire que le plan dressé par M. Brassier, plan qu'il avait remis aux syndics lors de sa visite du 5 août, était fort élaboré. Les précisions qu'il donne ne laissent pas de nous étonner. Tout est noté avec soin, de l'épaisseur des murs à l'emplacement des cheminées, les dimensions des fenêtres et des portes, la structure des plafonds et des planchers, la couverture en bardeaux de cèdre, etc. Il était sûrement l'un de ces prêtres bâtisseurs de l'époque mettant à profit sa science de la construction.

L'entrepreneur avait la liberté de prendre sur les terres des habitants tout le bois nécessaire, la pierre et le sable, sans aucun dédommagement. Ces derniers devaient creuser la cave, s'ils en voulaient une; ils devaient de plus transporter de Montréal, la pierre de taille pour les cheminées durant le mois de février 1783 et fournir à l'entrepreneur *dix veltes de Rum en commençant la Masconne.* (9)

LES SECONDS SYNDICS

L'élection des premiers syndics fut toutefois contestée par un groupe d'habitants; ceux-ci, faisant valoir que certaines formalités légales avaient été omises, la déclarè-

(9) L'orthographe suit toujours textuellement les documents consultés.

rent nulle; il fallut donc la recommencer. Cette fois cependant, on s'assura le concours du notaire Grisé que l'on envoya quérir à Chambly, et l'assemblée se tint au village, le 10 mars 1783, chez «le sieur Honoré Landry», un autre Acadien, devant une assistance d'une soixantaine de personnes; plusieurs y reconnaîtront, peut-être, le nom de leurs ancêtres dans la liste qu'en fournit le notaire, ci-après. Deux des premiers syndics furent réélus, Laurent Roy et Julien Piédalue; les deux autres furent remplacés par Benjamin LaBécace et Joseph Cire.

Voici donc l'acte tel que rédigé textuellement par le notaire Grisé:

> *«Liste d'une partie des habitants qui se sont assemblés à la petite Cadie, en la Baronnie de Longueuil ayant été duement avertis aux prônes des églises St-Philippe et St-Joseph de Chambly; les autres absents pour le service de Sa Majesté et autres causes pour establir des sindics pour la bâtisse d'une église et presbytère au dit lieu de la petite Cadie.*
> *Les dits habitants comparants comme suit,*

sindics	Julien Piédalue	Charles Boudreau
id	Laurent Roy	Charles Boudreau, fils
id	Benjamin LaBécace	Joseph Boudreau
id	Joseph Cire	Henry Poirier
	Pierre Trahant	François Labrecque
	Amant Landry	Jean-Bte Bro
	Honoré Landry	Pierre Grangé
	Alexandre Landry	Joseph Clouâtre
	Joseph Piédalue	François Lanoue
	Alexis Piédalue	Joseph Tremblay
	Albert Piédalue	Louis Guérin
	Etienne Piédalue	Mathurin Gagnon
	J-Bte Trahan	Jean Rémillard
	Joseph Ménard	Jacques Alexandre
	J-Bte Cire	Jacques Hébert

François Roy	Jacques Senésac
Joseph Bro	Bte Paradis
Amant Bro	Estienne Chartier
Michel Bourgeois	Bte Brouillet
Etienne Boudreau	Nicolas Garant
Alexis Bro [10]	Louis Simard
Charles Bro	Olivier Dupuy
Joseph Roy	Jacques Hébert
Charles Dupuy	Pierre Clouâtre
David Hébert	Laurent Surprenant
Pierre Boudreau	Nicolas Grégoire
J-Bte Colombe	Louis Bouchard
Joseph Comeaux	François Richard
Joseph Mailloux	Pierre Cire
François Mailloux	Mathurin Boudreau
Joseph Lavoye	Paul Babin

«... fait et passé à la petite Cadie en la baronnie de Longueuil en la maison du sieur Honoré Landry l'an Mil sept cent quatre vingt trois le Dix du mois de Mars en présence des témoins qui ont signés avec les Sieurs Laurent Roy, françois Roy, Joseph Clouâtre, Joseph Bro, Louis Simard, Amand Bro, andré Jourdant et notaire, et les autres - des susnommés par la dite liste ont tous dit et déclarés ne savoir signer de ce interpellé, lecture faite ainsy qu'il est porté à la Minutte des présentes.»

Signé   Grisés

Enfin ce dernier acte fut homologué le 29 mars 1783, comme en témoigne l'acte suivant extrait des Régistres de la cour... des plaidoyers de Montréal:

(10) L'orthographe de ce patronyme a considérablement varié depuis les débuts de la colonie; alors qu'il s'écrit Brau en 1686 et Breau en 1714, lors des premiers recensements faits en Acadie, on le voit orthographié Braux dans ces documents concernant les Acadiens, à Boston, en 1757 et 1765. Il semble que c'est seulement après le retour au Canada en 1768 que la forme Bro se généralise, due sans doute à diverses interprétations que pouvaient en faire les gens lettrés qui parfois ne se fiaient qu'au son, comme nous avons pu voir pour d'autres noms dans des requêtes ultérieures, tels que: Boudro, Hébaire, Desranlo, etc.

«*Vu l'acte d'assemblée des paroissiens de la petite
Cadie en la Baronnie de Longueuil convoquée aux
fins de la construction d'une église et presbitaire
audit lieu de la petite Cadie passé devant Me Grisé,
notaire, le dixième de ce mois et tout considéré ... a
homologué et homologue le dit acte pour estre exécuté suivant sa forme et ...*
*Donné à Montréal par les honorables Jean Fréser et
hertel de Rouville, écuyers, juges, l'audience tenant
le vingt neuf mars Mil sept cent quatre vingt trois.*»
Signé   Lepailleur, grefier*

Les décisions prises par les quatre premiers syndics
furent sanctionnées par l'assemblée peu nombreuse en
réalité, mais comme l'indique le notaire, les autres étaient
«absents pour le service de Sa Majesté», la guerre de
l'Indépendance américaine n'étant pas encore terminée. La
construction du presbytère qui avait été plus ou moins
suspendue put alors être complétée et le haut fut aménagé
en chapelle selon les indications qu'en avait données
Monsieur Brassier.

Cependant, l'entrepreneur Basile Proulx éprouva quelques difficultés à se faire payer, un groupe de dissidents,
mécontents du site choisi, ne voulurent pas payer leur
quote-part, si bien que l'argent n'entrait pas suffisamment
dans les coffres des syndics. Devant la menace d'une
action légale de la part de l'entrepreneur, les marguilliers
furent autorisés par M. Montgolfier, vicaire-général de
l'évêque de Québec pour le district de Montréal, à prendre
l'argent de la Fabrique, qu'ils avaient en main, pour le
passer aux syndics; mais ce n'était pas suffisant et Basile
Proulx dut patienter jusqu'en 1788 pour le paiement final.

Pendant la construction du presbytère, deux des syndics,
les sieurs Laurent Roy et Joseph Cire, avaient fait des
quêtes à l'automne de 1782 pour acheter les objets
nécessaires au culte. Ils en firent d'autres à six reprises
jusqu'en juillet 1783. Cette année-là, ils collectèrent 1145

livres dont ils rendirent compte en 1786 «par devant M. Lanctô, prêtre et curé, Amant Bro, Jean Dupuis tous les deux marguilliers et pierre noël terrien ancien marguillier et autres habitants».

PREMIERS CURES

Le premier curé nommé par l'évêque de Québec put donc être logé au presbytère dès son arrivée en octobre 1784. M. Charles Chauvaux, né à Québec en 1758, n'avait alors que 26 ans; il ne restera qu'un an à L'Acadie. Il sera remplacé en 1785 par M. René-Pascal Lancto, qui sera le véritable bâtisseur de la paroisse. Il y restera d'ailleurs jusqu'à sa mort survenue en 1816.

M. René-Pascal Lancto, deuxième curé de L'Acadie, de 1785 à 1816. Portrait peint par Louis Dulongpré (1754-1843). Photo Jacques Paul.

M. Chauvaux, toutefois, procéda dès son arrivée à l'élection de trois marguilliers, comme en fait foi l'acte suivant:

«*Dimanche, vingt quatrième jour d'octobre de l'année Mil Sept cent quatre vingt quatre, les habitants de cette paroisse dont l'assemblée avait été annoncée au prône, le dimanche précédent se sont trouvé au presbytère après la grande messe paroissiale en présence de Moy prêtre premier curé de cette paroisse pour y procéder à l'élection des Marguilliers, et ont été élu pour premier marguillier le sieur Pierre noël terrien, pour le second, le sieur Paul Senécal et pour troisième le Sieur amant Bro. Le premier marguillier restera en charge jusqu'au premier jour de l'année mil sept cent quatre vingt six inclusivement et ce suivant la décision de Messire Montgolfier vicaire général de ce diocèse.*
à Ste Marguerite de Blairfindie même jour et même année que cy dessus.»

Signé: Chauvaux prêtre

Le premier acte qu'il inscrivit aux registres paroissiaux fut celui du baptême, le 29 octobre, de Charles-Joseph, enfant de Joseph Boudreau et de Marguerite Lanoue; les parrains étaient Charles Boudreau et son épouse Marie-Josephte Bro, probablement les grands-parents. Tous étaient Acadiens, comme on le voit.

Sous le règne du second curé, M. Lancto, les paroissiens continuèrent à acheter tout ce qui était nécessaire pour équiper le haut du presbytère qui tiendrait lieu de chapelle pour les années à venir. C'est ainsi qu'ils se procurèrent différents articles tels que: tabernacle, calice, encensoir, soleil (ostensoir), etc., de même que trois chasubles.

Dès 1785, des dépenses furent faites pour installer des bancs, voire même un banc d'oeuvre et un confessional; en 1789, on pouvait y trouver un maître-autel. Enfin rien ne semblait manquer pour l'exercice du culte. Ce premier presbytère-chapelle devait contenir une soixantaine de bancs environ, car dans les redditions de comptes, il est toujours question dans les recettes de *rentes de 58* ou *59 bancs comme il appert au régistre.*

LA CLOCHE

La dépense la plus importante, toutefois, fut faite en 1790 avec l'achat d'une cloche d'environ 600 livres, dont le coût s'éleva à 2,100 livres ou francs, ce qui paraît une somme considérable pour l'époque. Elle fut achetée à Montréal d'un fondeur qui est resté inconnu. On dut débourser 3 livres et 15 sols pour le passage du fleuve, à La Prairie, tandis que le marguillier qui l'accompagnait paya 3 livres pour lui.

Elle fut bénite par le curé Lancto, le 8 juin 1790, et reçut le nom de *Marie-Marguerite.* Ses parrain et marraine furent le capitaine Laurent Roy et dame Marie-Anne Brosseau, épouse du capitaine Constant-Marie Cartier, qui deviendra major quelques années plus tard.

L'abbé Moreau nous dit qu'elle fut d'abord placée sur le presbytère-chapelle; Adair et Wardleworth, par contre, croient qu'elle fut placée probablement dans un beffroi séparé du presbytère, vu la difficulté qu'on aurait eue à hisser une cloche d'une telle pesanteur sur le toit, ce qui est plausible, car dans le compte-rendu des dépenses pour l'année 1790, il fut payé 6 livres au bedeau «pour avoir accomodé les étais du clocher» (11).

Enfin une anecdote survenue au cours du présent siècle nous fait pencher vers la version d'Adair et Wardleworth. Le curé Allyre Cloutier, lors de son passage à L'Acadie de 1913 à 1925, avait fait installer sur la sacristie un petit clocher, afin d'alléger semble-t-il, l'ouvrage du sonneur et ménager aussi la cloche de l'église. On dut vite l'enlever,

(11) Un étai est une grosse pièce de bois pour soutenir provisoirement une construction.

43

Clocher installé par le curé Allyre Cloutier sur la sacristie, vers les années 1915.

lorsqu'on s'aperçut que la pesanteur de cette nouvelle cloche menaçait de faire ouvrir le toit de la sacristie (12). Or elle était sûrement moins lourde que celle de l'église; qu'en aurait-il été d'une cloche de 600 livres sur le toit du presbytère!

Cette cloche qui donne la note *do* aiguë et qui, lors de la construction de l'église, sera installée dans la première lanterne du clocher préside, pour ainsi dire, depuis près de deux siècles bientôt, aux destinées de la paroisse.

(12) Renseignements fournis par Mlle Alda Lécuyer.

Que n'a-t-elle pas contemplé, perchée dans son gite, les laborieux paysans de jadis penchés sur la terre nourricière, occupés aux semailles et à la fenaison, ou maniant avec dextérité le javelier lors de la moisson, s'arrêtant religieusement à l'heure de l'Angélus. Moments de paix et de bonheur!

Que n'a-t-elle vu accourir vers l'église des paroissiens joyeux, venus y célébrer un baptême ou un mariage; mais aussi d'autres cortèges accompagnant un être cher à son dernier repos. Moments de joie et de tristesse!

Que n'a-t-elle célébré avec allégresse la venue d'évêques illustres, les premiers de Québec, d'autres de Montréal et d'ailleurs.

Mais lorsqu'elle sonna le tocsin qui donna l'alarme, lors du feu mis au village par les troupes de Colborne, en 1838, comme elle dut frémir d'horreur devant ce spectacle terrifiant!

A l'oeuvre et à l'épreuve malgré le poids des ans, elle continue d'appeler les fidèles vers la maison du Seigneur et de s'associer aux joies comme aux douleurs des paroissiens.

V - L'église

V — L'EGLISE

Le culte allait continuer de s'exercer dans le haut du presbytère pour quelques années encore, au cours desquelles d'autres pièces de mobilier furent achetées, notamment deux paires de chandeliers plaqués argent. Mais un important changement se produira en 1800, qui allait mobiliser les esprits. Déjà en février 1795, les paroissiens avaient adressé une pétition à Mgr Jean-François Hubert, évêque de Québec, lui demandant de leur déléguer un représentant, afin de marquer le site exact de la future église, sur le terrain donné à cette fin.

Mgr Pierre Denaut, 10e évêque de Québec.

Le 25 mars, Mgr Hubert manda son coadjuteur, Mgr Pierre Denaut, curé de Longueuil (13), d'exécuter cette tâche; et le 28 mai de la même année, ce dernier visitera la paroisse et établira le site de l'église à l'endroit choisi préalablement par M. Brassier, en 1782. Selon le procès-verbal qu'il remit à son évêque, il suggéra que l'église

(13) Mgr Denaut qui succédera à Mgr Hubert, comme évêque de Québec, ira prendre possession de sa charge mais reviendra habiter son presbytère de Longueuil, tandis que le coadjuteur qu'il désignera, Mgr J. Octave Plessis, résidera à Québec.

devrait avoir 120 pieds de longueur par 50 de largeur et 22 pieds de hauteur.

DECISION FINALE

Vers 1799, le haut du presbytère devint vite trop exigu pour contenir les fidèles allant croissant. Déjà en 1787, Mgr Hubert, alors qu'il était coadjuteur de Mgr L.-Philippe Mariauchaud d'Esgly, était venu y confirmer 255 personnes. Devant cette situation devenue intolérable, il fallut se décider à bâtir l'église. Les formalités furent aussitôt prises et les travaux de fondation du bâtiment commencèrent à l'été 1800, et en septembre de la même année la pierre angulaire en fut bénite par M. Louis-Amable Prévost, comme nous l'apprend l'acte suivant:

> «L'an Mil huit cent le deux septembre par nous prêtre soussigné a été bénite la première pierre de cette église placée dans le coin de la chapelle de Saint-René, du côté de l'autel sous l'invocation et le titre de Sainte-Marguerite d'Ecosse, en présence de M. René-Pascal Lancto curé missionnaire de la dite paroisse, de Jacques Odelin maître-maçon, soussignés et de Pierre Marcoux et David Lanciau qui ont déclaré ne savoir signer.»
>
> Signé   R.P. Lancto, prêtre   Odelin
> M.Prévost prêtre
> curé de Saint-Jean-François-Régis [14]

Nul n'allait se douter à ce moment-là, que surgirait de cet endroit prédestiné un véritable joyau d'architecture. Sous la direction du maître-maçon Jacques Odelin, les travaux progressèrent rapidement si bien que le 23 décembre de l'année suivante, soit en 1801, le gros oeuvre est terminé, et l'église put être livrée au culte. Ce fut encore le curé de Saint-Philippe qui vint en faire la bénédiction solennelle, comme en témoigne le texte suivant:

(14) Il s'agit de Saint-Philippe qui porta primitivement ce nom.

L'église et le presbytère, en 1856.

L'église au début du siècle; elle avait été alors revêtue d'un crépi de ciment. La petite bâtisse à droite, abritait le catafalque.

«L'an Mil huit cent un le vingt trois décembre, par moi prêtre, curé en la paroisse de Saint-Jean François Régis soussigné, a été faite la bénédiction solennelle de l'église de cette paroisse de Sainte-Marguerite d'Ecosse vulgairement nommée Blairfindie en présence de Messire René-Pascal Lancto curé en cette paroisse, de Messire J.B. Boucher curé en la paroisse de la Nativité de Notre Dame, de Messire Charles Bégin curé à Saint-Constant, de Messire Pierre Robitaille curé à Saint-Olivier et Sainte-Marie [15] et de Messire François Bélair curé en la paroisse de Saint-Luc [16] qui ont signé avec nous.»

Signé   L. M. Prévost prêtre
curé de Saint Jean François Régis

Les archives la Fabrique ne mentionnent pas le nom de l'architecte, mais selon Me Gérard Morisset, qui fut au cours de ses multiples fonctions conservateur du Musée de la Province, et qui s'est grandement intéressé à l'église de L'Acadie, il concluait que «cet édifice aux proportions attachantes, cette oeuvre d'art parfaite», était le fruit de la collaboration de quatre personnages.

Le premier dont nous avons déjà cité le nom, est Mgr Pierre Denaut qui en a fixé le site et les dimensions. Ensuite viendra un constructeur habile, l'abbé Pierre Conefroy, curé de Boucherville et vicaire-général, qui a codifié de façon pratique quantité de données relatives à la construction des églises et qui vient de terminer ce que l'on appelle depuis, le *plan-devis Conefroy*, dont la caractéristique est d'uniformiser l'architecture des églises de l'époque, selon les recommandations de Mgr Briand (17). Notons que l'abbé Conefroy a tracé les plans de plusieurs églises, entre autres celles de Boucherville et de Saint-Roch de l'Achigan.

(15) Saint-Mathias porta le nom de Saint-Olivier de 1772 à 1809; la paroisse était désignée aussi dans les premiers actes sous le vocable de la Conception Immaculée de la Pointe Olivier.
(16) M. Plessis-Bélair venait à peine de prendre possession de sa cure de Saint-Luc, soit en octobre 1801; la paroisse détachée de L'Acadie en 1798, fut desservie de cette dernière jusque-là.
(17) Voir: *L'architecture et le rayonnement de Notre-Dame de Québec*, par Luc Noppen.

Vinrent ensuite le maître-maçon Jacques Odelin et le maître-charpentier Joseph Nolette, qui érigeront l'édifice en respectant méticuleusement le plan Conefroy. Le charpentier Nolette fera les bancs et la charpente de la voute, mais son oeuvre maîtresse sera ce prodigieux clocher à double lanterne dont la silhouette élancée fait l'admiration des connaisseurs et dont la première lanterne abrite, à quelque 120 pieds du sol, l'antique cloche de 1790.

La façade de l'église et le clocher d'après une photo de 1918.

Gérard Morisset qui compare cette église aux autres qui furent bâties à la même époque, telles celles de Boucherville (1801 également), Saint-Marc de Verchères, la Présentation (St-Hyacinthe), Saint-Roch de l'Achigan, Saint-Nicolas (Lévis) et celle de Lauzon, y trouve un air de famille indéniable, des ressemblances frappantes. Il y trouve aussi des caractéristiques qui donnent à chacune sa physionomie propre. Voyons ce qu'il en dit de la nôtre:

> «A L'Acadie, ce sont les proportions majestueuses du pignon; c'est le dessin pur, l'élan prodigieux du clocher à double lanterne; c'est la faible saillie du transept, dont chaque croisillon a l'aspect, non d'une chapelle, mais d'un contrefort; c'est l'allure martiale de la façade; c'est la parfaite légitimité de cette admirable pyramide qui coiffe avec tant de distinction la butte qui s'élève un peu au-dessus de la rivière . . . .
> Telle que l'on faite les générations du XIXe et du XXe siècle, l'église de L'Acadie est l'un des monuments qui marquent le mieux les aptitudes de nos ancêtres pour l'art de bâtir, leur sens des proportions et leur science du dessin.
>
> «Pénétrons à l'intérieur de l'église. Ce long vaisseau de trois travées, que termine une abside gracieusement arrondie, est couvert d'une voûte en anse de panier, dont la courbure est d'une telle plénitude et d'une telle originalité que cette nef, pourtant large de cinquante-quatre pieds, en paraît encore plus vaste. A L'Acadie - tout comme dans les églises de Cap-Santé, de Lotbinière et de Lauzon -, les proportions sont étudiées avec tant de soin, le dessin de chaque élément épouse avec tant de constance le mouvement même du thème général, la mouluration, les saillies et les vides sont si bien adaptés au vaisseau de l'église que de l'ensemble se dégage une impression plaisante de stabilité, d'aisance souveraine et de perfection paysanne.»

L'intérieur de l'église, vers 1953.

55

Détail de la voûte faisant voir les médaillons, aujourd'hui disparus.

Il regrettait bien sûr que cette somptueuse sculpture sur bois n'était plus tout à fait ce qu'elle était aux environs de 1830, conséquence des prétentions esthétiques de restaurateurs venus par la suite; il se consolait, par ailleurs, que les dégats n'aient pas dépassé la voûte. Mais c'était avant la grande restauration de 1955, et les travaux faits alors firent disparaître, un peu trop au gré de certains, ce qu'il considérait comme des «prétentions esthétiques».

Cependant, bien qu'il jugeait les toiles de la voûte comme des copies médiocres de compositions illustres, il les conserva mais la chose fut différente pour les médaillons situés dans le pourtour de ladite voûte et qui illustrait des sentences latines se rapportant à la Vierge d'un côté et à saint Joseph de l'autre; peints directement sur le bois, il devenait difficile, apparemment, de les restaurer et de les conserver, ils furent, dès lors, recouverts de peinture.

LE TRAVAIL DES FINSTERER

Néanmoins, Me Morisset n'a que des éloges pour les travaux exécutés par les Finsterer, père et fils. Le premier, Jean Georges Finsterer, originaire de Suisse, arrivé au Canada dans le dernier quart du XVIIIe siècle, contracta mariage et s'établit à L'Acadie, dans la partie de la paroisse comprise aujourd'hui dans Saint-Cyprien. Le contrat de mariage de son fils Daniel, en 1812, l'identifie comme «sculteur, Résident en la Paroisse de Ste Marguerite de Blairfindie». Il commença à travailler à l'église dès le début, car son nom apparaît au chapitre des dépenses du livre des comptes pour les années 1800 et 1801.

Son fils, Daniel, également décrit comme «sculpteur», né à L'Acadie en 1791, y travailla dès l'année 1811 avec son père, ayant atteint à peine l'âge de vingt ans. Pour être plus près des lieux, il logea au presbytère, car il fut alloué au curé, cette année-là, «178 livres et 10 sols pour pension de Daniel Finstere» (18).

(18) L'orthographe du nom se modifie; lorsqu'il s'agit du père, on voit «Finster» et pour le fils, parfois «Finstere», mais le plus souvent «Finsterer».

Le maître-autel exécuté par Georges Finsterer et le retable, oeuvre de Daniel Finsterer; tableau de Sainte Marguerite par J. T. Rousseau. Photo Jacques Paul.

Gérard Morisset se demande si le père ne serait pas un disciple de Quevillon, le maître de l'atelier de Saint-Vincent-de-Paul; Adair et Wardleworth, qui ont fait un intéressant travail de recherche sur l'église de L'Acadie, pensent également la même chose. Bien que la forme finement courbée du tombeau du maître-autel, disent-ils, ne possèdent pas certaines caractéristiques propres à Quevillon, ils retrouvent par ailleurs, au bas de l'autel l'ornementation de vignes et d'arabesques, et couvrant le haut, les gracieux motifs de roses fréquemment trouvés dans l'oeuvre de Quevillon.

Mais M. Morisset s'interroge également s'il n'aurait pas travaillé quelque temps sous la direction de Philippe Liébert, et semble pencher plutôt vers cette filiation Liébert-Finsterer. Il base son opinion en citant: «les formes générales de ce magnifique meuble en bois sculpté et doré, et certains détails rappellent les plus belles oeuvres de Liébert».

Détail du maître-autel; tête de chérubin formant l'angle. Photo Jacques Paul.

59

La chaire et l'abat-voix;
bois sculpté et peint, orné
de dorure, par Georges
Finsterer. Photo Jacques
Paul.

Quoi qu'il en soit, le maître-autel doit être attribué à
George Finsterer; chose certaine, il ne l'a pas travaillé sur
place, car on dut payer 19 livres pour son transport en
1802. Il fit aussi le tabernacle et probablement la colonnade
en hémicycle soutenant un délicat baldaquin, celui-ci
surmonté d'une couronne pour laquelle il lui fut payé 165
livres en 1819. On doit lui accorder de même l'érection de
la chaire et de son abat-voix, contrairement à ce qu'en dit
M. Morisset qui l'attribue à son fils Daniel; ce qui ne peut
être, l'oeuvre ayant été exécutée en 1804 et pour le
transport de laquelle il reçut 20 livres. Il fut rémunéré aussi
pour d'autres travaux à l'église, sans qu'aucune précision
ne soit donnée sur la nature de ces ouvrages.

Quant à Daniel Finsterer, on lui doit la part la plus
importante de la décoration, semble-t-il, à cause des
sommes considérables qu'il a reçues de la Fabrique, soit

plus de 30,500 livres (19), comparativement à quelque 15,000 livres pour son père. Il travailla à «son entreprise de l'église», comme il est noté, de 1812 à 1822; ce qui ne l'empêchera pas, plus tard, d'y travailler encore.

En 1812, il exécuta un autel, l'un des deux chapelles latérales, l'autre ayant été acheté par le curé. Ce dernier fut probablement doré par les Soeurs Grises de Montréal qui, selon Adair et Wardleworth, étaient réputées pour ce genre de travail; ils citent en exemple les églises du Sault-au-Récollet et de Sainte-Jeanne de l'Ile Perrot. Les archives nous confirment pour cette même année 1812 un paiement de 462 livres «aux Dames Grises».

C'est également lui qui est l'auteur du somptueux retable du sanctuaire incluant les deux colonnes en arrière de l'autel et les deux anges surplombant le retable, tenant en main une guirlande retenue par une urne sculptée au centre. A cet effet, Adair et Wardleworth se réjouissent du fait que l'on ne se soit pas plié à l'ordonnance de Mgr Ignace Bourget qui, lors de sa visite du 15 juillet 1842, ordonnait «que les deux statues d'anges qui sont en haut du Retable soient remplacés par deux urnes en sculpture»; heureusement pour nous les deux anges sont encore là. C'est au cours de cette même visite, d'ailleurs, que Mgr Bourget fit la consécration du maître-autel.

Daniel Finsterer s'occupa aussi de toute l'ornementation du choeur; les sculptures des panneaux séparés par des pilastres d'inspiration corinthienne; la très belle décoration de la tribune de l'orgue en bois sculpté et doré; de même que les fameuses sculptures en anses de panier de la voûte qui s'appuie sur la corniche qu'il fit aussi et qui court tout le long de la nef et du choeur. Relisons les commentaires de M. Morisset sur le travail de Finsterer, fils:

---

(19) A ce montant, il faudrait ajouter l'importante somme de 14,083 livres et 37 sols que la Fabrique débousa de 1811 à 1823, pour l'argent mais surtout pour l'or et le mordant dont se servit Daniel Finsterer pour son travail.

La tribune de l'orgue; bois sculpté et doré, par Daniel Finsterer.
Photo Jacques Paul.

Détail de la tribune de l'orgue, faisant voir également, à gauche,
la frise courant sous la corniche et au bas, l'un des chapiteaux de
style ionien. Photo Jacques Paul.

«*Quand Daniel Finsterer en assume l'exécution en l'année 1812, il vient d'avoir vingt ans. En moins d'une dizaine d'années, il mène à bien cette importante entreprise décorative. Aussi bien, est-ce un ensemble d'une grande unité de dessin et d'exécution. J'y trouve quelques faiblesses, oui; mais je me demande jusqu'à quel point le sculpteur en est responsable - rappelons-nous les méfaits des restaurateurs; . . . . en tout cas, elles sont plus attachantes, elles attirent davantage le regard que la perfection purement académique de certains décors modernes. Chose certaine, des connaisseurs fervents retournent à L'Acadie pour y retrouver avec le même plaisir, les arabesques candidement chantournées de ses panneaux et de ses écoinçons; mais ils ne retournent point à Saint-Pierre-Claver ni à l'Ancienne-Lorette, sûrement parce qu'ils ont vite épuisé la perfection compassée de leur décor. Il y a des livres qu'on aime à relire et des oeuvres d'art qu'on tient à revoir: ce sont les ouvrages dignes d'intérêt, les seuls qu'il importe de se rappeler.*»

LES TABLEAUX

Les premiers tableaux de l'église furent peints dès 1802 par Louis-Joseph Dulongpré, peintre français qui s'établit à Montréal après avoir servi dans l'armée française pendant la Révolution Américaine, de 1778 à 1783. Il peignit le premier tableau de **Sainte Marguerite** qui, selon l'abbé Moreau, la représentait assise travaillant à une étoffe de différentes couleurs. Il fut remplacé, on ne sait pour quelle raison, par le tableau actuel sis au-dessus de l'autel.

Des deux autres oeuvres de Dulongpré, il reste le tableau de **Saint René** avec les ornements pontificaux qui orne le retable de gauche et celui de **Marie au tombeau**, au retable de droite. D'après M. Morisset, toujours, «le premier ne comporte que peu de retouches et ne manque pas de qualités picturales; mais le second, entièrement repeint, en est devenu méconnaissable». L'explication en est probablement donnée par le fait suivant rapporté par l'abbé Moreau:

> «*Cette église, si pieuse et si belle, faillit être la proie des flammes, en 1846. La foudre y tomba, pendant la nuit du 7 au 8 septembre, et y pénétra par la noue de la chapelle de la Sainte-Vierge.*
>
> «*La statue de Notre-Dame de Pitié fut endommagée ainsi que la dorure de la corniche. Le voile de tulle de la Madonne et le tapis de l'autel furent brûlés, et la foudre alluma, en plusieurs endroits, un feu qui parut s'être éteint de lui-même, mais l'église fut sauvée, et l'on crut qu'elle fut miraculeusement sauvée.*»

On peut donc conclure que la toile en question ait été endommagée, d'où sa restauration par des mains moins habiles, peut-être, que celles de l'auteur. Le peintre Dulongpré fit aussi l'excellent portrait du curé de l'époque, l'abbé René-Pascal Lancto, que l'on trouve au bureau du presbytère. Selon M. Morisset, «le prêtre qui a pris l'initiative de la construction de l'église de L'Acadie y apparaît comme un brave homme sans prétention, simple et un peu désabusé.» En ce qui a trait aux autres tableaux de l'église, l'ancien conservateur du Musée provincial enchaîne en disant:

> «.......... *les quatre peintures qu'Yves Tessier, qui se disait peintre d'histoire à Montréal, a brossées de 1826 à 1828 et qui sont aujourd'hui marouflées sur les murailles de la nef, n'ont pas trop souffert du temps et des hommes; j'y retrouve avec plaisir une excellente copie de la **Vision de saint Jérôme** qu'Yves Tessier a faite d'après une autre copie qui se trouve dans l'église de Varennes et qui a pour auteur François Beaucourt; l'original est d'un artiste français qui a joui d'une vogue considérable vers l'année 1723 pour avoir dessiné la plupart des épisodes du sacre de Louis XV à Reims, Pierre d'Ulin; ...*

Vision de Saint Jérôme; copie par Yves Tessier, vers 1827, d'un tableau de François Beaucourt. Photo Jacques Paul.

.... Les trois autres tableaux d'Yves Tessier, honnêtement peints, représentent trois autres docteurs de l'Eglise, **Saint Grégoire, Saint Ambroise refusant l'entrée du temple à Théodose** et **Saint Augustin guérissant un malade.**» [20]

(20) A gauche en entrant, ceux de Saint Jérôme (près du jubé) et Saint Ambroise; à droite dans le même ordre, Saint Augustin et Saint Grégoire.

Saint Ambroise repoussant Théodose, copie par Yves Tessier, d'après un tableau de Rubens, 1828. Photo Jacques Paul.

Le peintre Tessier est sûrement l'auteur aussi des deux petits tableaux, à l'arrière de l'église, tableaux qu'il aurait faits, l'un en 1831 et l'autre l'année suivante, si l'on se fie aux archives de la Fabrique. En effet, en 1831, un tableau fut payé 120 livres, sans plus de précision; mais toutefois en 1832, il est clairement indiqué qu'il fut «payé à M. Yves Tessier, pour un tableau - 120 livres»; donc même prix que

Le Baptême du Christ par Saint Jean-Baptiste, par Yves Tessier, 1832. Photo Jacques Paul.

l'autre. De plus, on a payé 1 livre et 10 sols pour poser le tableau aux fonts baptismaux; or on sait que les fonts baptismaux se sont tenus en arrière de l'église pour un certain temps, suite aux ordonnances des évêques. Ce dernier tableau représente le **Baptême du Christ par Saint Jean-Baptiste** et l'autre un **Ange guidant un enfant.**

Quant aux cinq tableaux de la voûte, on ne peut déterminer avec exactitude quand et par qui ils furent peints. Les archives nous disent cependant qu'en 1890 d'importants travaux de restauration, évalués à $7,422, furent faits tant à l'intérieur qu'à l'extérieur de l'église, par les entrepreneurs Rousseau & Decelles, qui se disaient artistes peintres. Une chose est sûre cependant, le tableau actuel de **Sainte Marguerite**, dans le retable, qui la représente sortant d'un palais distribuant du pain aux pauvres, est signé J.T. Rousseau et porte la date 1890. Il devient donc plausible que M. Rousseau soit aussi l'exécutant de ceux de la voûte. Ces derniers racontent des épisodes de la vie de la Sainte Vierge: **Annonciation, Visitation, Naissance de Jésus, Fuite en Egypte,** etc.

Dans cette église, où l'ensemble nous paraît si harmonieux, une chose étonne pourtant: il s'agit de la toile fixée au mur face à la chaire, peinte vers 1956 par Denys Morisset, fils de l'autre. C'est une composition très stylisée représentant **l'Assomption de la Vierge**, patronne des Acadiens. La Vierge en robe rouge s'élève entre deux anges à demi agenouillés, au-dessus d'un village dans lequel apparaît le clocher de l'église de L'Acadie. Bien que possédant des qualités indéniables, ce tableau semble anachronique et jette une fausse note, à notre humble avis, dans le décor remarquable de ce temple. Il n'a heureusement rien coûté à la Fabrique, car il fut offert par un donateur.

LES BANCS ACTUELS

En décembre 1847, lors d'une assemblée des marguilliers, ceux-ci «ayant pris en considération l'état de vétusté du plancher de la nef, ...», résolurent de faire renouveler en entier le plancher et les bancs de la nef, ceux du jubé, et d'employer pour cette fin les ouvriers requis. Les travaux ne se feront toutefois que trois ans plus tard. L'entreprise sera confiée à Jean-Baptiste Mailloux qui s'y emploiera durant les années 1850 et 1851. Il fera en même temps un trottoir de bois conduisant du village à l'église. Il en coûtera un peu plus de 20,000 livres (21) pour ces travaux.

Les planchers des allées seront refaits par la suite, mais les bancs ne seront pas touchés; ils datent donc de cette époque-là. Lors de la restauration de 1955, on a tenu à garder le cachet typique de ces bancs, dont la porte se refermant sur les occupants les préservait des courants d'air lorsque les portes de l'église s'ouvraient, gardant ainsi la chaleur à l'intérieur. Il paraîtrait, selon certains chercheurs, que les habitants qui avaient l'habitude de mettre des briques chaudes dans leurs voitures, l'hiver, les emportaient à l'église pour la durée des offices.

LE CHEMIN DE CROIX
Le présent chemin de croix, car il y en a eu d'autres avant dans l'église et aussi dans la sacristie, fut installé au début de 1904, et donna lieu à une imposante cérémonie présidée par Mgr Paul Bruchési, le 3 février de la même année. La première station fut donnée par l'archevêque de Montréal, les treize autres par des familles de la paroisse; il y eut des parrain et marraine pour chacune d'elles.

De nombreuses personnalités ecclésiastiques y assistèrent; à part les curés et vicaires de presque toutes les paroisses environnantes et même de Saint-Lambert et de Sabrevois, on pouvait remarquer la présence du très Révérend Charles Lecoq, supérieur du Séminaire de Saint-Sulpice, du Père Hage, prieur des Dominicains de Saint-Hyacinthe, du chanoine Emile Roy, né à L'Acadie, chancelier du diocèse de Montréal, du Père Archange, franciscain, et de l'abbé Gustave Bourassa, secrétaire de l'Université Laval; ce dernier, fils de Napoléon Bourassa, natif de L'Acadie et par conséquent frère de Henri Bourassa, le grand tribun politique.

(21) Il est intéressant de noter que la Fabrique n'emploiera le dollar dans ses transactions que vers les années 1860; auparavant, elle traitait toujours, au début en livres françaises (ou francs), ensuite, en livres anglaises; cours ancien ou cours actuel, comme il est indiqué aux livres des comptes.

Statue de Sainte Marguerite, bois sculpté, par Daniel Finsterer. Photo Jacques Paul.

STATUE EN BOIS SCULPTE

Parcourant du regard l'intérieur de la nef, la curiosité du visiteur est bientôt piquée par une statue en bois sculpté, située près du transept de droite. Cette statue, représentant *Sainte Marguerite*, tout empreinte de majesté bienveillante, est l'oeuvre, sans doute aucun, de Daniel Finsterer, car on sait qu'il en sculpta d'autres, notamment l'*Ange sonnant la trompette* qui, jusqu'à ces dernières années, était au frontispice du Calvaire et qu'on a dû enlever par mesure de sécurité; il trouverait bien sa place, croyons-nous, dans l'église.

Celle de sainte Marguerite occupait autrefois la niche sise au tympan de l'église; elle était en ce temps-là dorée. Lors des travaux de 1955, elle fut descendue, et vu l'état lamentable de la base, causé par les intempéries - des oiseaux y faisaient même leur nid dans la couronne - M. Morisset décida de l'emporter à Québec, afin de la faire restaurer dans les ateliers du Musée provincial. Elle y resta bien huit ou neuf ans et ce n'est qu'après plusieurs démarches du curé Paul-Emile Dumas qu'elle nous est revenue. Entre temps, elle avait été remplacée par une réplique en poussière de marbre pressée, celle-là, imputrescible.

LES LUSTRES

L'église possède deux lustres magnifiques, garnis de pendeloques. Le plus important et le plus ancien de l'église même, celui du choeur, a remplacé le lustre façonné par Georges Finsterer qui était, il y a une dizaine d'années, au musée de l'Institut des Arts appliqués de Montréal; ceux qui visitèrent le pavillon Canadiana (ancien pavillon du Vermont) à Terre des Hommes, en 1969, eurent l'occasion de l'admirer. Avant d'être électrifié en 1927, il portait des bougies.

Quant à celui de la nef, c'est une acquisition récente, mais qui date vraisemblablement de la même époque, sinon antérieure. En effet, lorsque tout l'appareil d'éclairage fut remplacé à l'automne de 1974, ne gardant que le lustre mentionné ci-dessus, la Fabrique eut la main heureuse en faisant l'achat de ce deuxième lustre qui n'était plus utilisé à l'église de Sainte-Julie-de-Verchères et qui provenait apparemment de l'église même de Verchères. Il était monté jadis sur une base en bois portant chandeliers.

A ces deux lustres d'époque, se sont ajoutés d'autres lustres plus modernes, il est vrai, mais dans le même style, soit dans les croisées de la nef et sous le jubé. Il en ressort un coup d'oeil inoubliable, surtout lors des offices en soirée.

VI - Le chemin couvert et le cimetière

Le chemin couvert vu de l'arrière, avec la partie conduisant de la sacristie au presbytère, à droite de la photo. Photo Jacques Paul.

VI — LE CHEMIN COUVERT ET LE CIMETIERE

LE CHEMIN COUVERT

A l'instar de quelques églises de la même époque, celle de L'Acadie possède son *chemin couvert*, qui n'est ni plus ni moins qu'un corridor conduisant de l'église et du presbytère à la sacristie, préservant ainsi les gens des intempéries. Il en fut question dès la visite de Mgr Bernard Claude Panet, coadjuteur de Mgr Plessis, en 1817. Il ordonnait en effet:

> «*qu'il sera ouvert et fait aux frais de la fabrique une porte sous l'escalier de la chaire et un chemin couvert pour conduire à la sacristie ceux qui iront à confesse dans le cours de l'hiver.*»

Le chemin couvert fut construit vers les années 1822 seulement, mais la porte ne fut pas percée; bien plus, les marguilliers adressèrent une requête à Mgr de Telmesse (Mgr Lartigue) demandant d'après la résolution suivante passée en assemblée:

> «...... *de bien vouloir déroger à l'ordre de Mgr de Saldes* [22] *de percer la dite porte dans le mur de l'église pour communiquer à la sacristie par le chemin couvert vu que de dehors la place on communiquera facilement à la sacristie par le chemin couvert et dont la porte sera sur la dite place.*»

La place dont il est ici question est l'espace compris entre l'église et le presbytère actuel, espace clôturé à l'avant et qui renfermait le cimetière des enfants baptisés qui, selon l'usage du temps, ne pouvaient être inhumés dans celui des adultes. D'ailleurs, dans la même pétition, ils demandaient la permission de posséder cette place et d'exhumer les corps des petits enfants. Ils voulaient ainsi

(22) Mgr Panet

agrandir la place publique qui est actuellement trop petite pour contenir le monde avant les offices.

Le chemin couvert, vu de l'avant, de l'église au presbytère. Photo Jacques Paul.

Mgr Lartigue se rendit à leurs demandes en répondant au verso de la pétition; réponse qu'il data de «Mont-réal», le 1er d'octobre 1822.

Enfin la fameuse porte fut percée au cours de l'année 1841, peu après l'arrivée du curé Charles LaRocque, qui deviendra plus tard curé de Saint-Jean et évêque de Saint-Hyacinthe. Des réparations furent faites en même temps au chemin couvert, à l'église et à la sacristie qui fut agrandie.

Ce chemin couvert présente un peu un air de caserne avec ses fenêtres basses, qui ont conservé avec bonheur les carreaux de jadis. Il fait le lien naturel entre l'église et le presbytère actuel construit vers 1821, et qui est l'un des plus imposants de la région sud de Montréal.

LE CIMETIERE
Les ancêtres de toute une région reposent dans ce cimetière; plus de 7,000 personnes y furent inhumées depuis la fondation de la paroisse. Agrandi à quelques

reprises, il le fut de nouveau récemment, par le prolongement en arrière du presbytère. Des monuments s'y trouvent parfois côte à côte, sans un ordre bien défini; les allées y sont rares, augmentant ainsi l'espace du terrain limité par la rivière.

Il suffit de s'y promener quelque peu pour évoquer des événements du siècle dernier; les pierres tombales ne trahissent jamais l'histoire. C'est ainsi qu'une colonne pyramidale nous révèlera le nom de François Bourassa et de son fils portant le même prénom, lequel fut député du comté de Saint-Jean durant plus de quarante ans, d'abord sous l'Union de 1854 à 1867, ensuite sous la Confédération jusqu'en 1896. Sur ce modeste monument, on peut à peine lire maintenant la devise *Foi - Vertu - Travail*, qui était aussi celle de François Bourassa, père, lié durant de nombreuses années aux affaires de la Fabrique.

Non loin de ce dernier monument, on aperçoit sur celui de la famille Roy, un médaillon en bronze colorié, oeuvre du sculpteur réputé Philippe Hébert, disciple de Napoléon Bourassa; témoignage éloquent de l'opulence de cette famille qui a joué un rôle important dans les débuts de la colonisation.

Et vis-à-vis le contrefort du transept, nul ne peut éviter l'imposant monument Landry-Robert, qui par des alliances de familles est passé à la famille Brault. Erigé par les abbés Landry, neveux du curé Robert, à la mémoire de leur mère, il fut acheté en Italie, transporté par bateau et remonté sur place. Fait de marbre, il résiste depuis plus d'un siècle aux rigueurs du climat; malheureusement, des vandales en ont brisé l'une des croix, il y a quelques années.

Enfin, une plaque apposée sur le mur de l'église intrigue quelques visiteurs; elle nous rappelle le souvenir des «Dames Herse», expression par laquelle on désignait les deux filles, l'une mariée à un M. Richardson, de M. Jacques-Clément Herse, l'un des plus anciens marchands de L'Acadie. Son nom apparaît dès l'année 1813 dans les comptes de la Fabrique. L'abbé Moreau croit que ce Français, chassé par la Révolution était un aristocrate, car son argenterie, qu'il disait être en possession d'un notable de Napierville, portait des armoiries. Leur propriété fut acquise par la Fabrique vers 1878, en règlement de succession. (23) Aussi, peut-on lire distinctement sur ce marbre, l'inscription suivante:

AUX DAMES HERSE
LA PAROISSE RECONNOISSANTE
26 SEPTEMBRE 1878

Quelques épithaphes anglaises nous rapellent aussi que la paroisse a accueilli peu après 1812 plusieurs familles d'Irlandais catholiques, tels les Dunn, McDonald, Ryan, Callaghan, McGinnis, O'Brien, etc. qui ont toutes quitté la paroisse depuis, excepté la première nommée.

(23) Aujourd'hui, propriété de M. Léo Desgagné.

Cette croix était jadis adossée à l'église, très probablement du
côté du cimetière. On y retrouve groupés tous les instruments de
la Passion, en une sorte de trophée prenant le nom d'«Armes du
Christ». On y voit donc la couronne d'épines, l'échelle, le fléau, la
lance de la transfixion, l'éponge, le pichet de fiel, les clous, le
marteau, les tenailles de la descente de croix, la main qui
soufflette le Seigneur, le coq du Reniement, le disque figurant le
soleil, obscurci lors de la mort du Christ, de même que
l'inscription INRI.

VII - La restauration de 1955

VII — LA RESTAURATION DE 1955

L'EGLISE

Peu après son arrivée à L'Acadie en 1952, M. l'abbé Robert Corriveau qui venait d'y être nommé curé entendit parler de la restauration que l'on faisait à l'église de Saint-Mathias-sur-Richelieu. Effectivement, c'est en 1953 que la Commission des Monuments Historiques du Québec reconnaissait l'église de Saint-Mathias comme monument historique et en assumait le coût de sa restauration. Comme cette église datait de la même époque que celle de L'Acadie, M. Corriveau tenta d'entrer en communication avec les gens susceptibles de convaincre ladite Commission de s'occuper aussi de la nôtre.

Par une coïncidence providentielle, une conférence eut lieu à L'Acadie, à peu près dans le même temps, soit le 23 novembre 1953, sous les auspices de la Société Historique de la Vallée du Richelieu; conférence où justement Me Gérard Morisset, qui était à ce moment-là le tout puissant secrétaire de la Commission des Monuments Historiques, devait traiter de l'église de L'Acadie.

Cependant, Me Morisset fut empêché de venir, et c'est M. Gustave Signori, qui était à l'époque vice-président de la SHVR, qui lut le texte de la conférence. Il fut remercié par le président de ladite Société, le notaire Rodolphe Fournier, qui exprima le voeu que l'église de L'Acadie soit classée comme monument historique. Aussi, le 20 décembre de la même année, les marguilliers réunis en assemblée résolurent-ils de faire une demande aux autorités concernées pour faire classer l'église comme tel.

Toutefois, M. Corriveau avait profité de l'occasion de cette conférence pour y rencontrer des personnes qui avaient des contacts avec Me Morisset, et c'est ainsi que celui-ci s'amena un jour à L'Acadie discuter du projet de restauration. Il se laissa convaincre facilement et acquiesça d'emblée à ce projet, d'autant plus qu'il n'était pas à sa première visite à L'Acadie, connaissant l'église depuis quelques années auparavant. Le texte intégral de sa conférence qu'il devait prononcer en novembre 1953, avait même déjà paru, dès janvier 1952, dans la revue «Technique» et même avant, dans «La Patrie» du dimanche 20 novembre 1949.

Les choses ne traînèrent pas en longueur; dès juillet 1954, la Commission des Monuments Historiques faisait savoir par une lettre de son secrétaire, Me Gérard Morisset, qu'elle était prête à assumer les frais de la restauration, à condition que l'Ordinaire du diocèse et la Fabrique acceptent et laissent à ladite Commission toute autorité dans la direction des travaux. Ceux-ci furent confiés à MM. Gauthier et Fils, de Saint-Roch des Aulnaies; le presbytère et le chemin couvert subirent le même sort et c'est également MM. Thomas et Georges Gauthier qui en furent chargés.

L'église et le cimetière tels qu'ils nous apparaissent aujourd'hui.

L'aspect extérieur de l'église changea complètement; de la froideur grise du ciment, on était passé au coloris plus vivant et vrai des cailloux des champs, lui redonnant par le fait même sa livrée d'antan. De plus, la toiture peinte en rouge - comme celle du presbytère qui subsiste encore aujourd'hui - attirait de loin les regards, jetant de la couleur dans ce paysage agreste.

Quant à la restauration de l'intérieur, elle fut confiée à M. Jean Ferland, entrepreneur-peintre de Sainte-Marie-de-Beauce, qui exécuta les travaux de peinture selon les directives de Me Morisset, en mai et juin 1955. On y travailla ferme jusqu'à la toute veille des grandes célébrations du 26 juin, qui marquèrent avec éclat les fêtes du Bicentenaire Acadien, attirant une foule de 15,000 personnes qui ne manquèrent pas d'admirer ce chef-d'oeuvre nouvellement restauré.

L'intérieur de l'église depuis la restauration de 1955 avec les deux magnifiques lustres. Photo Jacques Paul.

CLOCHER ET TOITURE

Bien qu'on eût peint le clocher, lors des travaux de 1955, en même temps que la toiture de l'église, ces derniers furent le sujet d'une réfection complète en 1969. La couverture de tôle de l'église fit place à un revêtement en bardeaux de Colombie, spécialement traités pour résister aux intempéries. Quoique un peu moins gaie que la précédente peinte en rouge, la toiture présente n'en offre pas moins un cachet d'authenticité.

Le clocher de son côté, fut recouvert de cuivre de 16 onces, étamé au plomb, lui assurant ainsi une protection efficace. Encore une fois, la Commission des Monuments Historiques du Québec assuma le coût de ces travaux évalués à $33,825; travaux qui furent effectués par Paul Simard & Frère, de Montréal, selon les devis préparés par l'architecte Pierre Cantin, du Service de ladite Commission.

VIII - Monuments historiques

Entre temps, suite aux grands travaux de 1954-55, il devenait évident que l'église serait classée monument historique, d'autant plus que des demandes avaient été faites en ce sens par la Fabrique et la Société Historique de la Vallée du Richelieu. Ce fut chose faite par un arrêté ministériel, en date du 3 janvier 1957 et enregistré au bureau d'enregistrement d'Iberville, le 15 avril 1964. Mais bien avant que le notaire Morisset puisse procéder à l'Inventaire des oeuvres d'art de la Province, un autre personnage avait eu une vision prophétique de la grande valeur de l'église, ou du moins en avait une opinion fondée qui s'est vérifiée par la suite. Il s'agit de Mgr Emmanuel Deschamps, auxiliaire de l'archevêque de Montréal qui, lors de sa visite pastorale des 4 et 5 juin 1928, suggéra que *l'église qui est un bijou et un véritable monument historique gagnerait à être rafraîchie.*

Le presbytère actuel, en 1918. A gauche, l'ancienne école; on notera que des fenêtres y avaient été murées.

Le presbytère actuel construit vers 1821, et dont les proportions rappellent celles d'un manoir seigneurial, fut également l'objet d'un classement, sous le règne du curé Dumas, par un arrêté ministériel en date du 2 décembre 1964. La maison voisinant le presbytère fut classée par la même occasion; construite vers les années 1830, par le curé Paquin, elle servit d'abord d'école pour les filles jusqu'en 1879, où après avoir passé entre les mains des Commissaires d'école, elle fut rétrocédée à l'usage de la Fabrique.

Elle fut habitée ensuite périodiquement par le bedeau en fonction jusque vers les années 60, alors que la maison fut désaffectée. L'an dernier, des intérêts privés l'ont acquise avec l'intention ferme de la restaurer.

Enfin un plaque, don de la Commission des Monuments Historiques, fut apposée sur la façade de l'église, suite à une demande de la Société Historique de la Vallée du Richelieu. Le dévoilement en eut lieu le dimanche 17 octobre 1965, en présence des personnalités civiles et religieuses et de M. Paul Gouin, alors ex-président de ladite Commission, qui rappela que les trois édifices: église, presbytère et ancienne école constituaient «*un ensemble architectural situé dans un cadre unique*».

Il ne nous reste qu'un voeu à formuler: c'est que ce joyau, cette église si belle que nous ont léguée toute une lignée d'ancêtres des siècles passés, soit le témoignage probant, pour les générations à venir, de la foi profonde qui anima jadis toute une population dans l'érection de ce superbe monument.

Autrefois au Québec, l'église était le centre de la vie paroissiale et c'est avec amour que l'on édifiait ces temples, ne négligeant ni le labeur, ni toutes les ressources possibles. L'Acadie n'a pas échappé à la règle et y a peut-être ajouté la quintessence de l'art.

BIBLIOGRAPHIE

Aux archives de la paroisse de Sainte-Marguerite-de-Blairfindie:

Les divers *Cahiers des délibérations*, du 24 octobre 1784 jusqu'en 1930 et de 1954 à 1970.

Les *Livres des comptes*, couvrant sensiblement la même période.

Ouvrages consultés:

Adair, E.R. et Eléanor S. Wardleworth, *The Parish and Church of L'Acadie*, The Progressive Printers, Ottawa, 1933, 15 p.

Fortin, Lionel, *Le député François Bourassa*, travail présenté dans le cadre du cours d'histoire 924, Cegep Saint-Jean-sur-Richelieu, s.d., 6 p.

Hébert, Pierre-Maurice, *L'Acadie de la Vallée du Richelieu*, dans 32e cahier de la Société Historique Acadienne, Moncton, juillet-août-septembre 1971, 15 p.

Lanoue, François, *Une nouvelle Acadie - Saint-Jacques-de-l'Achigan*, Imprimerie Saint-Viateur, Joliette, 1972, 410 p.

Lebrun, Odette, *Les baronnes de Longueuil*, dans 2e cahier de la Société d'Histoire de Longueuil, Longueuil, premier trimestre 1973, 7 p.

Moreau, S.A., *Histoire de L'Acadie* - Province de Québec, Montréal, 1908, 162 p.

Morisset, Gérard, *L'église de L'Acadie*, dans 2e cahier de la Société Historique de la Vallée du Richelieu, Saint-Jean, avril 1954, 6 p.

Noppen, Luc, *Notre-Dame de Québec; son architecture et son rayonnement 1647-1922*, Québec, Editions du Pélican, 1974, 283 p.

Poirier, Jean, *Toponymie*, Québec, Les Presses de l'université Laval, 1965, 165 p.

Poirier, Pascal, *Des Acadiens déportés à Boston en 1755* (Un épisode du Grand Dérangement) dans *Mémoires de la Société Royale du Canada*, vol. II, section 1, Ottawa, 1909.

Porter, John R. et Léopold Désy, *Calvaires et croix de chemins du Québec*, Montréal, Editions Hurtibise HMH, 1973, 145 pages. (Les Cahiers du Québec, 15. Ethnologie québécoise, 3)

TABLES DES MATIERES

                                                                    Pages
Avant-propos   9
I   Situation géographique et topographie 11
II   La colonisation 19
III   L'érection de la paroisse 27
IV   Le premier presbytère-chapelle 35
V   L'église 47
VI   Le chemin couvert et le cimetière 73
VII   La restauration de 1955 81
VIII Monuments historiques 87
Bibliographie 93